afgeschreven

Tromboneliefde

Van dezelfde schrijver:

De tol van de roem (roman)
Held van beroep (roman)
*Sorry dat ik het paard en de hond
heb doodgeschoten*
(gedichten)
Luxeproblemen (columns)

In voorbereiding:

Pluto (roman)

Adriaan Jaeggi

Tromboneliefde

Nieuw Amsterdam

Eerste druk februari 2006

Tweede druk maart 2006

© Adriaan Jaeggi 2006

Omslagontwerp Volken Beck

Foto voorplat Chris van Houts

Foto achterplat Merel Roze (www.merelroze.com),

'The Hackensaw Boys in café Kadijk'

ISBN 90 468 0039 3

www.nieuwamsterdam.nl

www.jaeggi.nl

The trombone is the true chief of wind instruments designated as epic. It has all the deep and powerful accents of high musical poetry, from the calm and imposing sounds of religion to the wild clamour of the orgy.

— Hector Berlioz:
Treatise on Modern Orchestration

If I ever had a home it was a slide trombone
— Ray Anderson

INHOUD

*Always buzz the mouthpiece
when necessary*

Zoals er altijd twee wegen zijn die je kunt gaan, de makkelijke die naar de verdoemenis leidt en de moeilijke die je in het paradijs zal brengen, zo zijn er ook twee soorten liefde waar je tussen kunt kiezen.

De meeste mensen kiezen voor de makkelijke liefde. Makkelijk is de liefde waar niemand van opkijkt. Makkelijk is genegenheid die iedereen kan voelen, de eenvoudig op te brengen liefde voor je pasgeboren baby, de simpele begeerte voor je nieuwe vlam, de zin in vers brood. Zulke liefde levert begrip op, en instemmende knikjes, leuke kaartjes vanuit luxehotels in exotische landen en regelmatig een fruitmand of een bos rozen.

Daarnaast is er de liefde die geen instemming opwekt maar schouderophalen. Liefde die niet begrepen wordt maar bespot. Joop Visser zong er over: 'Hoe bestaat het dat ik hou/ Van een lelijke vrouw/ Zo lief, zo zacht/ En toch zo lelijk als de nacht.' Je weet hoe dat is, om met een lelijke vrouw op een feestje te komen en die blikken te zien, en om het gegnuif te horen achter je rug. Je kunt honderd keer zeggen dat je haar mooi vindt en haar kwaliteiten prijzen, maar daarom zullen anderen nog niet van haar houden. Het is een onverklaarbare liefde, die maar een enkeling voelt, en die alle anderen laat grinniken en hun wangen opblazen en spottende clownsgebaren laat maken.

Dat heet tromboneliefde.

In de hele muziekgeschiedenis is er geen instrument zo vaak bespot, vernield en belachelijk gemaakt als de trombone. Geen enkel instrument is zo vaak kapotgeslagen op de bereidwillige hoofden van komieken, of bij clowns of ongelukkige trombonisten om de nek gedraaid. De grap met de per ongeluk, door hard blazen, wegschietende schuif (vaak gecombineerd met de grap van de

'You call that Wagner?'

doorboorde vogel die dan uit de lucht komt val-
len) is zo klassiek dat hij bijna niet meer gemaakt
wordt.*) Ook het aantal onder stoomwalsen ge-
plette trombones (die er dan papierdun en drie
keer hun normale afmeting onder vandaan komen) is ontelbaar. De trombone is het enige in-

*) Bij mijn weten was de grap voor het laatst te zien in een afle-
vering van *Third Rock From The Sun*, op 20 mei 1999, her-
haald in 2003

strument dat hiervoor geschikt is. Goed, er wordt weleens een gitaar vernield of een viool geplet, en in de James Bond-film *The Living Daylights* wordt een dure cello heel lelijk behandeld (doorboord door een Russische kogel en als helmstok gebruikt bij een dolle sledetocht), maar je ziet aan Timothy Dalton dat hij dat gehannes met die vedel eigenlijk stierlijk vervelend vindt, en dat is het ook. Voor slapstick gaat er niets boven een trombone.

Het voor leken kennelijk groteske uiterlijk van de trombone — een trombone heeft niet de tuttige krullen van een saxofoon, en niet de handzame juffershondjesafmetingen van een trompet — is stof geweest voor ontelbare grappen: mensen die struikelen of bijna onthoofd worden door de ver uitgestoken schuif (zie Mini & Maxi), of wier ogen uitgestoken worden (zie Laurel & Hardy).

Zelfs het prozaïsche gegeven dat de trombone

makkelijk in delen uit elkaar te nemen is, kan aanleiding zijn voor grote hilariteit; vooral als de komiek van dienst de juiste beteuterde smoel trekt bij zijn in tweeën gebroken trombone – 'Nou moe?' Of dit allemaal humor van de boven-ste plank is doet niet ter zake, belangrijk is dat het uiterlijk van de trombone om de een of ande-re reden bij veel mensen onstuitbaar de lachlust opwekt.

Een tweede onuitputtelijke bron van vrolijkheid is het geluid. Elke trombonist, oud of jong, prof of amateur, funk of fanfare, heeft het meegemaakt: hoe mensen, zodra het instrument uit de koffer komt, met hun handen voor hun gezicht een soort primitieve boksgebaren beginnen te maken en 'Retteketet' roepen, of scheten imiteren. Het in-trigerende is dat niet alleen vervelende ooms op familiefeestjes en dronken debielen in het pu-bliek dit doen, maar dat ook intellectuelen automatisch komisch gaan doen als het over trombones gaat. Zo schreef jazzcriticus en trompettist (!) Boris Vian: 'De trombone is een hachelijk instrument. Hierop kan je echter fraai het geluid imiteren van een kalf dat om zijn moeder roept.' En in de necrologie van Maarten van Traa, liefhebber van de trombone, schreef columnist Martin Bril enkele jaren geleden: 'Trombone. Perfect instrument voor een man met veel ledematen en veel gedachten die zich een weg willen banen. Van retteketet. Muziek voor platvoeten die onvermoeibaar voortstappen.'

Retteketet?

Platvoeten?

Het is niet anders: de trombone wekt in veel mensen een onbedwingbare spotlust op. Retteketet. 'Laat die jongen maar schuiven!' En dat terwijl er eigenlijk niets komisch aan het instrument is. Is een contrabas niet veel potsierlijker van vorm? Is een dwarsfluit niet oneindig veel lulliger? Waarom dan die hoon, dat gegrinnik? Mijn theorie is: omdat de trombone het dichtst in de buurt komt van het volmaakte muziekin- strument. En omdat volmaaktheid, net als on- schuld, nooit lang bestaat.

Denk maar aan de sfinx van Gizeh, met de ooit volmaakte neus.

Denk maar aan de Venus van Milo.

Denk maar aan alle *remakes* van de Mona Lisa.

Een trombone heeft de volmaaktheid van de eenvoud. Hij is gebouwd volgens het oerprincipe van elk blaasinstrument: het veranderen van de lengte van de buis om de toonhoogte te variëren. Bij de trombone gebeurt dat niet door middel van het ingewikkelde kleppen- of ventielensys- teem, dat sinds ongeveer 1820 voor veel koper- blaasinstrumenten in zwang is – een systeem dat de luchtstroom langs nauwe bochten dwingt en het geluid onherroepelijk vervormt, kortom een vooruitgang die geen vooruitgang is –, maar door het vasthouden aan een primitief maar geniaal principe dat al vanaf de veertiende eeuw goed werkt: een buis die schuift. Maak hem langer en de toon wordt lager. Maak hem korter en de toon wordt hoger. Door niets gehinderd glijdt de adem van de trombonist door zijn instrument, slechts twee bochten hoeft de luchtstroom te passeren en het geluid verlaat vrijwel ongeschonden de beker, warm als fluweel, helder als peperduur bronwater.

Ook is de trombone vrij van het andere grote nadeel dat het gebruik van ventielen met zich meebrengt: onzuiverheid. Er bestaat nog altijd geen ventielsysteem dat zuiverheid garandeert. Philip Bate, in The *Trumpet and Trombone**), zegt erover: 'It has been said that the trombone is

---

*) Philip Bate, *The Trumpet and Trombone, an Outline of their History, Development and Construction*, Londen, 1978

the only instrument that can be played completely in tune all the time,' omdat 'the free-slide principle has endowed the trombone with a refinement which is found nowhere else in the orchestra save among the unfretted strings'.

Wie een trombone onbevooroordeeld bekijkt, zal ontdekken dat deze hele theorie volmaakt wordt uitgedrukt in het uiterlijk van het instrument. De smetteloze gladheid van de buizen, de spartaanse eenvoud van de S-vorm uitlopend in de uitdagende, sexy *flare* van de beker, het doet niet onder voor het erotisch geladen lijnenspel van een Lamborghini of een Angelina Jolie. Philip Bate weer: 'To the acoustician such a body is probably the nearest approach to theoretical perfection found in any orchestral instrument.' Met andere woorden: een trombone heeft een volmaakt lichaam.

Tromboneliefde is dan ook niet uitsluitend platonisch. Er is iets verleidelijks en suggestiefs aan het instrument dat een man niet onberoerd laat, en vrouwen ook niet.

Niet lang geleden zat ik in de trein naar het zuiden, op weg naar een optreden met een orkest dat in die contreien voor hip doorgaat. Terwijl we de Randstad achter ons lieten en de varkensfokkerijen van Brabant naderden, kreeg ik een onbedwingbare lust mijn trombone voor het komende optreden te prepareren, zoals andere mensen smachten naar een sigaret.

Ik ritste mijn trombonetas open en stalde de benodigdheden voor het soigneren uit op het minieme NS-tafeltje onder het raam: ruwe doek, zachte doek, waterspuitje, potje *superslick slidecream* en een tube Geheim Ingrediënt. Ik nam de losse coulis uit zijn beschermhoes, trok de buizen uit elkaar en veegde met de ruwe doek de witte film van vet en vocht van het matglanzende metaal. Ik stak mijn wijs- en middelvinger diep in de slidecream. Met mijn duim wreef ik de witte, vochtig glanzende crème over mijn vingers tot het van wit verkleurde naar doorzichtig. Teder maar doortastend begon ik likken slidecream aan te brengen op het uiteinde van de binnenste buizen. Ik werd zo in beslag genomen door het werk, dat ik niet merkte dat de trein stopte bij een station, dat de coupé volstroomde met passagiers, dat de plaats tegenover mij bezet was geraakt en dat het vettige aroma van de slidecream gezelschap kreeg van een vleug L'eau d'Issey.

Geconcentreerd masseerde ik de superslick op het metaal. Ik veegde mijn vingers af aan de ruwe doek, pakte de waterverstuiver en spoot een wolkje vocht op beide buizen. Daarna bracht ik een minieme hoeveelheid Geheim Ingrediënt aan. Met vette vingers masseerde ik de buizen, op en neer, als was ik een koe aan het melken. Toen ik opkeek van mijn arbeid zag ik hoe een vrouw gefascineerd de bewegingen van mijn vingers volgde. Ze had grote bruine ogen boven wangen vol gesprongen adertjes, haar haar was gekleurd met henna en ze droeg een spijkerbroek die veel te strak zat. Ik hield mijn hand stil. Ze keek op. Onze wangen schoten tegelijkertijd in brand. We schaamden ons zoals je je alleen kunt schamen als je betrapt wordt op iets heel intiems.

De intimiteiten van de trombone, de lichamelijke uitingen van tromboneliefde, wekken het meeste gegniffel op. Het is een lichamelijk instrument, en dat is merkbaar: aan de bobbel in je broek van het daar bewaarde mondstuk; aan de straaltjes vocht die uit het loosventiel lopen; aan de harde boeren en scheten die door de kleedkamer knetteren. Het helpt niet als je uitlegt dat je je mondstuk continu in je broekzak moet dragen omdat het daar op de juiste temperatuur blijft; dat wat er uit je buis loopt geen spuug maar condens is; of dat die boeren en winden een teken van gezonde, die-

Trombone destillata

pe ademhaling zijn. Dat het allemaal nodig is om dat instrument in je macht te krijgen, net als dagelijks *buzzen*.*)

    Always buzz the mouthpiece when necessary, je leraar heeft het er ingestampt en als je een dag te lui bent geweest voel je je schuldig. Dus je spant je lippen en begint met zoemen, een geluid dat mensen altijd aan het lachen maakt als ze het horen, omdat ze niet weten dat het hiermee steeds begint, omdat ze er nooit bij zijn als je studeert, omdat je tijdens dat halfuur buzzen en dat halfuur lage bindingen elke dag alleen bent, omdat ze niet weten dat je nooit dat podium op zou durven als je dit niet elke dag zou doen. Je kijkt in de spiegel en ziet de vibrerende groeven in je wangen, je bibberende lippen. Als je het mondstuk van je lippen haalt, drupt er spuug op je broek, alsof je een incontinente bejaarde bent.

*) Een verklarende woordenlijst staat op bladzijde 137

Nee, het zal nog niet meevallen om aan ze uit te leggen dat een leven zonder tromboneliefde niet compleet is.

De blokfluitlobby

Om aan mijn muzikale carrière te kunnen beginnen, moest ik vanaf mijn twaalfde jaar drie kwartier met tegenwind over een Brabantse dijk fietsen (voor toekomstige pelgrims: van Willemstad via Helwijk en Oudemolen naar Fijnaart), drie kwartier uitgefoeterd worden door een rood aangelopen blokfluitleraar omdat ik mijn etudes niet kende, en daarna drie kwartier terugfietsen. Met tegenwind, natuurlijk.

Het is mogelijk dat er ook dagen waren dat ik zingend over de dijk racete, wind in de rug, de blokfluit brandend in mijn rugzak, hongerig naar de muziek die ik zou gaan spelen, maar ik geloof van niet. Die eerste lessen waren een barre verplichting, een straf. En de enige reden die ik er achteraf voor kan aanvoeren is dat ik een kind was, en kinderen doen wat hun ouders zeggen, net zoals ouders doen wat andere ouders zeggen ('Zit jullie Xander nog steeds niet op fagotles?').

Geen kind zal ooit uit zichzelf om een blokfluit vragen (ik reken kinderen uit Amsterdam-Zuid even niet mee). Drumstellen, ja. Elektrische gitaren, saxofoons, trompetten, contrabassen (in die volgorde). In een enkel ernstig geval een hobo of fagot. Maar blokfluit, nee. Kinderen weten intuïtief dat je je verre moet houden van de blokfluit, wil je niet eindigen als serveerster in een restaurant waar de dagschotel viervijftig kost en de boxen de hele dag André Rieu uitkotsen.*)

Ergens in dit land moet in het geheim een machtige blokfluitlobby aan het werk zijn, anders kan ik dit beeld niet verklaren: vijf prepubers met een stuk hout in hun mond op een rij-

*) Ja, ik ken de Brandenburger-concerten, en ook de blokfluitconcerten van Vivaldi, Telemann, Händel en Benedetto Marcello. Met blokfluit is heus wel aardige muziek te maken, maar daar gaat het nu niet om. Lees eerst even het hele hoofdstuk voor u begint te mekkeren.

tje, bezig met het verminken van de canon van Pachelbel.

Waarom vinden ouders het zo belangrijk dat hun kind muzikaal is? Zijn er geen urgentere vaardigheden die een jong kind moet leren? Ik ken geen kinderen die op jonge leeftijd geleerd wordt hoe je een eenvoudige maaltijd moet bereiden, terwijl het in momenten van nood volgens mij veel nuttiger is om te weten hoe je een aardappel kookt dan hoe je een flageolet op de gitaar speelt. Wijlen mijn Duitse oom, Albert Mangelsdorff, zei altijd: 'Der Onkel mit den Schinken ist mir willkommener als die Tante die klavier spielt.' (Duitsers hebben veel verstand van blazen.)

Hoe dan ook staan mijn eerste muzieklessen me levendiger bij dan mijn ontmaagding. Vele jaren nadien heb ik er na een nacht woelen een gedicht over geschreven. Als ik dit in het land voorlees op literaire avonden barst steevast ie-

mand in snikken uit. Soms meerdere mensen.
De laatste keer, in Monnickendam, kwam na de
lezing een reus van een kerel naar me toe, greep
mijn hand en hield hem meer dan een minuut
zeer stevig vast, terwijl hij troebel voor zich uit
staarde.

Aan mijn muziekleraar
(*naar Elsschot*)

Dikke hufter, met je Saab
Hoe jij, wellustige priaap
Ons elke les zat aan te staren
Alsof we randdebielen waren

'k Weet nog alles, vette luis,
Al heb je nu een ander huis
gekocht van onze kindertranen
en weet je niet meer onze namen

Hoe Japie, met zijn klarinet
Steeds voor pispaal werd gezet
Daar-ie, links -10 en rechts -9
De kleine nootjes niet kon lezen

En kleine Tjalling, trompettist,
Werd week na week zo afgepist
Dat hij haast jankend stond te blazen
En jij maar tieren, en jij maar razen

En toen hij niet meer durfde komen
Heb je z'n toeter afgenomen
Al had z'n moeder, als bepaald
Meer dan de helft al afbetaald

Hoe je Dagmar, blond en sprietig
Altijd stilletjes en verdrietig
Steeds weer stiekem hebt geknepen
Bij het aanwijzen der grepen

Hoe je bij haar hoge C
Ineens haar jurk naar boven deed
Zodat ze, voor de hele school
Te kijk stond met haar altviool

En hoe je voor Willem met zijn fluit
Muziek voor altijd hebt verbruid
Je sloeg, al heeft men 't niet geloofd
De maat mee op zijn achterhoofd

Ik weet het nog, die lange uren
Dat ik je smalen moest verduren
Je dikke vingers in mijn nek
En de bierstank uit je bek

Ik weet het nog, zoals je ziet
Maar ik begrijp nog altijd niet
Hoe al die kleine onderdeuren
Dat elke week lieten gebeuren

Hadden ze maar met zijn allen
Al hun snaren laten knallen
Om die om je nek te strikken
En je lyrisch laten stikken.

Maar al is het niet gebeurd
Uitgesteld is niet verbeurd
En eens komt de mooie dag
Dat ik weer naar muziekles mag

Dat jij en al je partituren
Dat oude leed zullen bezuren
Als jij, zo zelfvoldaan als toen
Het nog één keer voor zal doen

En ik je klemzet, als een dier
Tussen de klep en het klavier
Om met een daverend slotakkoord
Je heen te zenden waar je hoort

Naar waar je tot de jongste dag
Dat heidens rotstuk spelen mag
Dat wij altijd moesten studeren
En volgens jou nooit zouden leren

Voor eeuwig klinkt dan door de hel
Die kutcanon van Pachelbel

Gelukkig houdt de muzikale carrière van de meeste kinderen op na twee jaar gedwongen etudes krassen. Ouders geven het meestal eerder op dan hun kinderen, vooral als ze hun spruit een keer hebben zien optreden tijdens de jaarlijkse voorspeelavond van de muziekschool.

Ouderliefde is iets prachtigs: er zijn ouders die nog steeds van hun kind houden nadat het zich eerst met zijn vioolkameraadjes bloederig door een menuetje van Mozart heen heeft geworsteld en daarna van opluchting tijdens het buigen een galmende wind heeft gelaten.*)

De houding van mijn ouders was aanmerkelijk koeler, die avond na mijn Grote Uitvoering: mijn moeder zette zwijgend de borden op tafel en had al het eten door elkaar gehusseld op mijn bord. In de weken daarop vergat mijn vader steevast mijn zakgeld uit te betalen, tot ik erom

---

*) Een bevriende jazzsaxofonist die in zijn onderhoud voorziet als muziekleraar aan de plaatselijke muziekschool, vertelde mij dat hij tijdens de jaarlijkse uitvoering het klamme handje van een van zijn leerlingen had vastgehouden helemaal tot aan haar pianokruk, waar ze met haar rug naar de zaal onmiddellijk begon te spelen. Terwijl hij zo onopvallend mogelijk terug de coulissen in schuifelde, hoorde hij tot zijn verbazing dat deze matige leerling er een volkomen originele interpretatie op nahield van *Für Elise*. Pas toen ze opstond en boog voor het applaus realiseerde hij zich dat ze door de zenuwen ongeveer een half octaaf te laag aan de piano was gaan zitten. Hij zei: 'Kun je je voorstellen hoe bang ze geweest moet zijn toen er bij het spelen de hele tijd zwarte toetsen opdoken op de verkeerde plaatsen?'

vroeg. Dan haalde hij diep adem en begon omstandig naar de rijksdaalder te graven in zijn portemonnee, terwijl hij intussen peinzend naar mijn kruin keek.

Voor de meesten komt het verlossende moment nooit, maar bij een enkeling begint het instrument op een middag te zingen. Zomaar, zonder waarschuwing. Wat het ene moment een dood stuk hout of metaal was, daar stijgt het volgende moment muziek uit op. Het wanhopige gekras en natte gepruttel maakt plaats voor noten, een melodie die opstijgt en de weg wijst naar harmonie – en dan ligt de weg open. Het is een onvergetelijke spirituele ervaring, die de meesten snel weer vergeten.

Ik kan het me ook niet meer herinneren. Als ik andere muzikanten ernaar vraag, krijg ik als antwoord: 'Je bedoelt wanneer ik mijn eerste schnabbel had?' Of: 'Spirituele ervaring, zit je te fokken of zo?' Maar het kan niet anders of iedereen die een instrument bespeelt heeft het ooit meegemaakt, anders is er geen reden om lessen te blijven volgen en jezelf te martelen met het geluid van een instrument dat maar niet tot leven wil komen (al zijn er in Engelse kostuumfilms altijd de kostelijke scènes waarin de dochter des huizes achter het spinet wordt geplant om een verkrampt mopje Chopin te spelen voor de gasten, terwijl haar zuster op de achterste rij het hof wordt gemaakt door de geile burggraaf van een dorp verderop).

Ik weet niet meer wanneer ik voor het eerst voelde dat ik kon spelen, maar wel wanneer ik voelde dat ik trombonist moest zijn: toen ik voor het eerst een trombone op tv zag. Of het het Concertgebouworkest was dat op zondagmiddag Wagner speelde, of het hoempaorkest achter een of andere carnavalszanger ben ik vergeten, maar toen ik de trombonesectie zag was ik verkocht.

Dat glimmen. Dat schuiven. Dat schetteren, dat pompen. Die schitterende, stampende, welluidende machine die daar op het podium zat. Nog steeds krijg ik rillingen als ik een trombonesectie in vol ornaat zie: alle hens aan dek, opstomend naar de rand van de wereld.

De enige die in de weg van mijn ambitie stond was wederom mijn blokfluitleraar. Niet alleen eiste hij van al zijn leerlingen dat ze eerst vier jaar blokfluit speelden voor ze überhaupt aan een ander instrument mochten denken, maar ten tweede had hij nog een akelige verrassing in petto toen het eenmaal zover was.

Die middag zou de trombone komen. Mijn leraar had gewikt en besloten dat ik eraan toe was. Hij zou hem voor me aanschaffen en bij ons thuisbezorgen.

Toen hij voor ons huis uit de auto stapte (ik heb nog altijd het beeld in mijn hoofd van mijn leraar in een lange zwarte jas die uit een helikopter springt, geflankeerd door vier marechaussees met witte helmen en geschouderde mitrailleurs, die gebukt onder de wiekende rotoren snel naar onze voordeur loopt met tegen zich aangedrukt een donkerblauwe, langwerpige koffer met een bult aan het eind) moesten mijn ouders me tegenhouden, anders was ik de stoep af gesprongen en had de koffer uit zijn handen gerukt. Ja, diepblauw was hij, met een paarlemoeren glans erover, alsof hij uit de diepzee was opgedoken.

Binnen legde mijn leraar hem op de keukentafel. Hij knipte de slotjes open (Wat! Knipten! Ze! Heerlijk! Open!) en deed een stap terug.

Aaaaaahh, zeiden mijn ouders.

Ik worstelde me langs hun benen. Lichtgroen fluweel, zag ik, en daarin opgebaard lag... Dit was geen trombone. Dit was een verwarde massa buizen en ventielen. Een trombone, dat wist ik zeker, was lang en glad en niet ingewikkeld. Dit was niet de beloofde schuiftrombone.

Mijn vader gaf me een duwtje in de rug. 'En? Hoe vind je 'm? Zeg eens wat?'

'Brmarweuh,' zei ik.

'Ja, ik dacht, die jongen kan beter eerst op een ventiel leren spelen,' zei mijn leraar, terwijl hij de blinkende onderdelen van het instrument uit de riemen bevrijdde en in elkaar schroefde. Toen hij klaar was hield hij een instrument in handen dat in de verre verte wel iets weg had van een trombone, maar dat vreselijk ontsierd werd door een dikke klont buizen midden in het instrument, als een knoedel koperen spaghetti.

Mijn leraar nam het mondstuk uit de koffer, paste het in het instrument en blies de eerste regel van het Limburgs volkslied. Als ik al had gehoopt dat zich uit het instrument op wonderbaarlijke wijze een schuif zou ontvouwen, waarmee je dan zou kunnen schuiven zoals het bij een

trombone bedoeld was, dan werd die hoop meteen de bodem ingeslagen. Het enige wat bewoog
waren de drie iele drukknopjes onder zijn dikke
vingers.

'Hier, probeer jij eens.' Ik pakte het instrument
van hem aan. Ik keek in het mondstuk. Er zaten
gele spuugbelletjes op de rand. Ik veegde ze eruit,
terwijl mijn ouders naar elkaar glimlachten. Ik
zettte het mondstuk aan mijn mond. Het was nog
warm van de mond van mijn leraar. Ik kneep
mijn ogen dicht en blies.

'FFFFFFFFFFFFFFFFFFFFF hijg hoest.'

'Nee, niet zo. Het is geen blokfluit, kereltje.
Trillen moet je, met je lippen. Als een paard!' Hij
deed het voor.

'PPPFFFFFRRRRPPRFF. Nou jij.'

'Pfbr.'

'Eerst maar eens een weekje oefenen hè? Hier,
ik heb je eerste lesboek voor je gekocht. *Ten easy
tunes*. Begin daar maar eens mee.'

Hij liep naar de deur, gevolgd door mijn ouders, die hem omstandig bedankten. Ze schudden handen en lachten en keken af en toe vertederd naar mij, omdat ik nog niet doorhad wat een bofkont ik was met zo'n leraar, die precies wist wat goed voor mij was. Hij keek er bescheiden bij, alsof het allemaal geen naam mocht hebben. Ik keek naar het koperen gedrocht dat op de keukentafel lag. Dat wou ik niet.

'En... En de schuif?' riep ik, hoger en schriller dan ik ooit van mezelf gehoord had.

Mijn ouders keken me bestraffend aan, maar mijn leraar lachte.

'Alles op zijn tijd, vrind. Eerst maar eens de ventieltrombone leren spelen. Dan zien we verder. Avond samen.' Hij groette. De deur sloeg.

'Nou, als jullie dat ding meenemen naar de kamer,' zei mijn moeder, 'dan kan ik gaan koken.'

Mijn vader aarzelde boven de massa glimmend koper, toen pakte hij op goed geluk het in-

strument beet. Het bungelde hulpeloos onder-
steboven in zijn handen, als een konijn aan een
jagersriem.

'Niet zo,' zei ik. 'Je houdt hem helemaal verkeerd vast.' Driftig rukte ik de ventieltrombone
uit zijn handen.

TROMBONEHUMOR

Aan de bar van café De Blauwe Noot zit een man te huilen.

'Wat is er met jou?' vraagt zijn buurman.

'Ik heb een IQ van 129,' snikt de ander. 'Ik ben zo slim dat niemand met me wil praten.'

'Da's ook toevallig,' zegt de ander. 'Ik heb een IQ van 130. Zeg, vind jij ook niet dat Einstein schromelijk overschat wordt?'

Twee krukken verderop zit een andere man mistroostig in zijn dode biertje te staren.

'Wat is er met jou?' vraagt zijn buurman.

'Ik heb een IQ van 98,' zegt de ander. 'En toch kan ik niemand vinden om mee te praten.'

'Da's ook toevallig,' zegt de ander. 'Ik heb een IQ van 97. Zeg, denk je dat het nog wat wordt met Ajax dit jaar? Wil je nog een pils?'

Alsof de duvel ermee speelt: aan de kop van de bar zit een man het hele gebeuren treurig aan te zien.

'Wat is er met jou?' vraagt zijn buurman.

'Ik heb een IQ van 77,' zegt de ander. 'Ik kan niemand vinden om mee te praten.'

'Da's ook toevallig,' zegt de ander. 'Zeg, wat voor mondstuk gebruik jij?'

De tol van de roem

Wie iets wil in deze wereld, moet zich eerst door een braambos van voorschriften, procedures, religieuze folklore en goed bedoelende ouders worstelen. Nooit zul je zomaar krijgen wat je wilt, zonder offers of voorwaarden. Dat werkt maar karakterbedervend.

Als je volwassen bent en sterk in je schoenen staat, is het misschien mogelijk je daaraan te ontworstelen, maar als kind ben je weerloos als iemand je vertelt wat je moet doen, omdat je op de tegenvraag 'Waarom?' steevast het antwoord krijgt: 'Omdat ik het zeg.'

Omdat een ouder iemand het zei moest ik ventieltrombone leren spelen. Ventieltrombone, even voor de duidelijkheid, is het zwakzinnige broertje van de gewone trombone. Hij ziet er op het oog enigszins hetzelfde uit, behalve dat er geen schuif op zit. De ventieltrombone wordt voortbewogen door een systeem van ventielen of *pistons*, net als de trompet. Dit ingewikkelde

Ventieltrombone

ventielensysteem (zie het hoofdstuk 'Always buzz the mouthpiece when necessary') maakt dat een ventieltrombone altijd verkouden klinkt. Er zijn een paar niet onverdienstelijke jazzventieltrombonisten – Bob Brookmeyer en Rob Mc-Connell –, maar het is niet voor niks dat er maar een paar zijn. Op een ventieltrombone kun je maar op één manier spelen: braafjes. Je kunt een beetje vogelen met de ventielen, zoals Brookmeyer en trompettisten als Clark Terry en Ray

Schuiftrombone

Nance weleens doen: in een verveelde bui de ventielen half indrukken waardoor je een grappig, kreunend geluid kunt produceren, de klacht van een stoffig spook in een ouwe stoof — maar daar houdt het voor wat betreft de pret die je met een ventieltrombone kunt hebben ook wel helemaal mee op. De ventieltrombone is uitgevonden in de tijd dat fietsfanfares populair waren: fanfarekorpsen die op dunne, ergonomisch onverantwoorde fietsjes rondreden in symmetrische pa-

tronen, terwijl ze de *Radetzky-Marsch* speelden.
Omdat het niet mogelijk is én je stuur én je
schuif tegelijkertijd te bedienen, werd er voor de
trombones een noodoplossing bedacht: de ventieltrombone.

Mijn noodoplossing was een Amati, een Tsje-
chisch merk dat ook mixers en betonmolens
produceert. Ik heb er vier jaar op gespeeld. Ergens tussen mijn vijf- en zevenentwintigste heb
ik hem een keer laten staan bij een verhuizing.
De sleuteltjes van de koffer vond ik jaren later
terug in een bureaula, dus als het goed is staat
ergens in een kast in Leiden nog een instru-
mentkoffer waarvan de paarlemoeren bekle-
ding op de hoeken een beetje afgesleten is. Niemand weet wat erin zit. Wat mij betreft mag u
hem openbreken. Er is maar vier jaar op gespeeld, de lulligste melodietjes (*Battle Hymn of
the Republic*, *Long Live The Weasel* en *Pop Goes
the Queen*), met mijn ogen dicht, mijn gedach-

ten bij de dag dat ik een trombone zonder ventielen zou mogen bespelen.

Daar stokt de herinnering weer. Ik weet niet meer hoe ik aan mijn eerste schuiftrombone kwam. Ik weet nog wel hoe hij eruitzag: slank gekleed in een *nifty* zwart etuitje, vanbinnen bekleed met glanzend fluweel, rood dit keer, met de bekende bult aan het eind en een speciaal houdertje voor het mondstuk. Ik weet ook dat hij tweedehands was (na vier jaar blokfluit en drie jaar ventieltrombone studeren hoor ik mijn ouders tegen elkaar zeggen: 'Eerst maar eens zien of hij dit volhoudt, dan krijgt hij volgend jaar misschien een nieuwe.').

Maar ik had een trombone. Een echte. Eentje met een wijd uitwaaierende glanzende beker waarin een wapentje gegraveerd stond, met een prachtige, sierlijke boog aan beide uiteinden, en een schuif die... Nu ja, hij schoof niet echt geweldig. Niet zoals ik me had voorgesteld. In mijn fantasie had het heen en weer bewegen van een tromboneschuif mijn puberale seksfantasieën allang overstemd.

Maar om heel eerlijk te zijn: het leek niet echt op schuiven. Het leek meer op wrikken. Er klonk een akelig schurend geluid uit het binnenste van de buis als ik het probeerde.

'Ben je d'r blij mee?' vroeg mijn vader ineens over mijn schouder.

'Ontzettend blij,' zei ik. 'Dankjewel.' Ik gaf een ruk aan de schuif, die krassend een paar centimeter uitschoof.

Ik ben een mild mens, maar met één ding kun je me razend krijgen: met je tengels aan een instrument zitten als je niet weet hoe dat moet. Ik moet dus voortdurend mijn razernij bedwingen, want overal om mij heen zitten mensen met hun tengels aan instrumenten.

Zet iemand in een kamer met een drumstel en binnen vijf minuten zit hij te roffelen. Eén op de drie mensen kan onmogelijk van een gitaar afblijven (even met de duim langs de snaren). Twee op de drie móéten hun vettige vingerafdrukken op het koper van een trompet of trombone zetten. Eén op de vier pakt het instrument daadwerkelijk op en probeert er, met komisch rollende ogen (één op de vijf) en bolle wangen (iedereen), geluid uit te krijgen. De ergsten blijven aan de schuif rukken tot ze het slotje, waarmee de schuif vastgezet wordt als er niet op gespeeld wordt, geheel verwrongen hebben. Na dit beulswerk zetten ze de trombone in een hoek alsof het een schoffel is. Zelfs als de schuif daardoor niet direct onherstelbaar beschadigd is, wordt hij toch nooit meer de oude. De schuif mag enkel en alleen, en hoe vaak moet ik dit nog zeggen, aangeraakt worden door de trombonist zelf.

De schuif is het edelste deel van de trombone. Er schijnen mannen te zijn die dromen over een vrouw met een tuinschaar die hun pik afknipt; in mijn nachtmerries speelt een Russische kogelstootster die mijn schuif over haar machtige dijen legt en hem dubbelvouwt, zoals je gedachteloos een paperclip verbuigt.

Als je eenmaal begrijpt hoe kwetsbaar een schuif is, kun je er geen grappen meer over velen. Als je optreedt is er altijd wel een lolbroek op de dansvloer die even probeert de schuif vast te pakken (in elk geval in de gelegenheden waar ik vaak optrad). Jarenlang heb ik de aandrang bedwongen zo'n kerel in zijn gezicht te schoppen. Ik hoef er ook weer geen prijs voor te krijgen, maar zoveel zelfbeheersing zie je niet elke dag.

Een collega-trombonist gaf me ooit een uitgescheurde pagina uit een oud tijdschrift, omdat hij wist dat ik plaatjes van trombones spaarde. (Dat doe ik trouwens niet meer. Tenzij het om heel bijzondere exemplaren gaat. Of zeldzame. Of... Ach, stuur ze gewoon op, dan kijk ik wel. Postbus 15511, 1001 NA Amsterdam.) Het plaatje, een sigarettenreclame voor een merk dat niet meer bestaat, toonde een jongen met een trombone over de verkeerde schouder (de rechter) en een meisje met in haar ene hand een sigaret en in de andere het schuifje van de jongen. Zal ik even lekker aan je schuifje zitten, dat idee.

Daar had ik geen problemen mee. Als een reclamemaker denkt dat er seks of verkoop te behalen is met een trombone, moet hij vooral zijn gang gaan. Maar die twee zaten op het strand. Op het strand. Het strand is tien miljard scherpe zandkorreltjes in combinatie met glad, glanzend metaal. Eén zandkorrel tussen de buizen kan genoeg zijn. Nu, terwijl ik dit schrijf, trekken golven kippenvel over mijn armen. Ik droom ook nog weleens dat ik lig te vrijen met het meisje van de foto, en dat, als zij met haar tong over mijn buik naar beneden gaat, ik mijn hoofd genietend opzij rol en dan zie dat ik om mijn handen vrij te hebben mijn trombone diep in het zand heb gestoken.

Het komt allemaal weer terug, dokter.

Ik heb eens tijdens een uitzending van *The Cosby Show* een vol bord nasi met saté naar de tv gegooid. *The Cosby Show* was een tv-serie met in de hoofdrol de zwarte Amerikaanse acteur Bill Cosby, die net blank genoeg was voor het scherm en net guitig genoeg voor het blanke Amerikaanse publiek om te zeggen: 'Kijk, dat is een áárdige neger.' Vader Cosby had een uitgebreide familie, de een nog guitiger dan de andere (de guitigste van allemaal was overigens dochter Denise, gespeeld door Lisa Bonet, die bij een van haar eerste filmrollen (*Angel heart*, 1987) de wereld niet alleen haar magnifieke borsten toonde, maar zich ook keihard liet neuken door Mickey

'... even lekker aan je schuifje zitten...'

Rourke terwijl het bloed met hectoliters tegelijk langs de muren stroomde. Moet u echt zien, die film. Het gevolg was wel dat zij door pa Cosby halsoverkop uit de serie werd gemieterd en de scriptschrijvers van de serie nog een hele toer hadden om te verklaren waarom dochter Lisa ineens niet meer thuis woonde. Maar ik dwaal af.

Het meest irrritante personage uit de serie, behalve Cosby zelf, was de grootvader. Niet alleen was hij de guitigste van allemaal, hij had ook geen idee hoe hij een trombone moest vasthouden. U vindt dat geen doodzonde? Hoor ik dat iemand roepen? Misschien geen doodzonde, maar je mag van een acteur toch wel verlangen dat hij een beetje overtuigend een muziekinstrument vasthoudt? Bijvoorbeeld in films die over muziek gaan?

Neem bijvoorbeeld James Stewart, die de titelrol speelt in *The Glen Miller Story*. Je maakt een film over een beroemde trombonist (Glen Miller), een film waarvan de hele reden van bestaan de trombone is – en de acteur houdt de hele film lang dat sierlijke instrument vast alsof het een broodje halfom is.

Sommige acteurs hebben graag rollen waarin ze mogen roken; omdat het zo fijn acteert, roken. Altijd iets in je vingers, voor het onuitgesproken woord, het stille uitroepteken. Ik raad ze aan om een trombone te proberen. Maar vraag dan eerst even aan een coach (of aan mij) *hoe* precies, anders word je grootvader Cosby, zoals die in aflevering 148 van de serie zogenaamd met zijn oude muzikantenmaatjes een avondje gaat jammen. Op het zogenaamde podium in de zogenaamde jazzclub staat een niet mis gezelschap (wat muzikanten noemen: een fijn hofje): Tito Puente, Dizzy Gillespie, Art Blakey, dat kaliber. Ze zetten een nummer in, iedereen speelt een solootje, en dan is opa aan de beurt. Hij blaast zijn wangen bol, spert zijn ogen open en zet de toeter aan de mond.

Ja, en toen vloog ineens dat bord nasi door de lucht.

Zo'n waardeloze acteur met een trombone in zijn handen: alsof je kleine zusje ineens met hoerige make-up rondloopt. Alsof de haringman je badhanddoek gebruikt heeft om zijn handen aan af te vegen.

Het lijkt wel alsof ze het erom doen, acteurs. Ik denk aan Richard Gere in *The Cotton Club*, die daar een beroemde muzikant moet spelen maar bij zijn solo ('Richard Gere heeft voor deze film de muziek zélf ingespeeld' vermeldde de producent trots. Alsof dat niet pijnlijk duidelijk was) cornet blaast met de gratie van een dronken gynaecoloog. Robert de Niro als saxofonist in *New York, New York* studeerde twee maanden sax en dacht toen dat hij kon spelen. Helen Hunt die viool speelt alsof ze net daarvoor twintig kuub beton gestort heeft (in *Dr. T and the Women*, 2000;

Ook een sax kun je verkeerd vasthouden.

opbrengst van de film: $ 13,065,000). Het is te tragisch voor woorden.

De enige die ik ooit zijn instrument perfect heb zien vasthouden, beter dan alle andere acteurs, was Dexter Gordon, in *Round Midnight* (1986). Hij hield zijn sax vast alsof hij ermee naar bed ging, wat niet ondenkbaar is. Maar Dexter was geen acteur, hij was muzikant.

Waarom wij Branford Marsalis haten

'Ik heb het gevoel dat ik nog ver verwijderd ben van perfectie.'

— Sonny Rollins (75)

Als je iets minder talent hebt kun je altijd hopen dat je studeren leuk vindt. Zo is bijvoorbeeld Wynton Marsalis nog best een aardige trompettist geworden — al bekent hij zelf dat hij met grote jaloezie kijkt naar zijn broer Branford, die na elk optreden zijn sax in een hoek van de kamer schijnt te gooien en hem er pas weer uit haalt als de drummer aanbelt om hem op te halen voor de volgende schnabbel. Of dat nou helemaal waar is of niet, zulke mensen bestaan. Vlak voor het optreden blazen ze twee noten, een paar arpeggio's, en je hoort meteen dat dat het eerste is wat ze die week geblazen hebben. Met een grote grijns stap je het podium op. Daar word je al bij de eerste solo finaal in een hoek geblazen.

Gelukkig moeten de meesten hard studeren,

zelfs de allergrootsten. Ik sprak ooit, in de pauze van een optreden, de legendarische Amerikaanse trombonist Slide Hampton. Het is een van de weinige gesprekken in mijn leven die ik me woordelijk herinner. Voor de argeloze toehoorder zal het overigens hebben geklonken als twee monteurs die hun gereedschap vergelijken. Gebruik jij nog zo'n ouderwetse Engelse sleutel? Balanceren jullie de wielen elektronisch uit of heb je zo'n nieuw digitaal ding? En wat voor mondstuk gebruik je? Nog speciale slide-cream? Wat je net deed in *All The Things You Are*, was dat een *lick* van J.J.? En hoeveel uur per dag studeer je?

Een uur of zes, zei Slide. Zijn vriendelijke bruine gezicht zakte een beetje in, alsof hij er zelf ook moedeloos van werd. Elke dag zes uur lange noten, lage bindingen, toonladderetudes, octaafoefeningen in legato en staccato – *play in all keys, vary the articulation from liquid slur to very detached*: van vloeibare slierten tot kleine diamanten blokjes. En daarna een plaat opzetten en solo's meeblazen. 'En als ik een dag niet genoeg gestudeerd heb, speel ik na de gig nog een paar uur. Met mijn demper natuurlijk.' Hij scheidde een korte grijns af, ter afscheid, want het trio was het podium weer op gekomen en het was weer zijn tijd, en hij gaf me een hand en zei: 'Good luck,' en terwijl Slide naar het podium liep voor de laatste set zag ik hem voor me, diezelfde avond, op zijn hotelbed, trombone in de ene hand, demper in de andere: lage bindingen. In de kamer ernaast krijgen een man en een vrouw ruzie omdat ze elkaar verdenken van scheten laten onder de dekens.

De schuur achter ons huis was koud in de winter en koud in de zomer. Nooit meer ben ik in een ruimte geweest die zo'n constante temperatuur had. Het zou een goede wijnkelder geweest zijn (mijn vader bewaarde er bier). Voor trombone-spelen was het minder ideaal, omdat ik altijd met verkleumde handen het vet op de buizen moest aanbrengen en het daarna een uur kon duren voor de trombone lekker gleed. Je kon hem niet even van je mond halen, omdat de buizen dan meteen verkilden; en als je je mondstuk niet consequent in je zak bewaarde, had je het gevoel, als je weer begon, dat je iemands bevroren lippen kuste.

Als ik niet bezig was met het smeren van de onwillige schuif of het warm blazen van de buizen, was ik mijn muziekstandaard aan het verplaatsen naar de ideale hoogte: hoog genoeg om de noten te kunnen lezen en laag genoeg om in alle vrijheid de schuif te kunnen bewegen. Twintig jaar later begin ik nog steeds elke studeersessie met het op de juiste hoogte zetten van de standaard. Ik begin te geloven dat die ideale hoogte niet bestaat, tenminste niet voor trombonisten.

Daarvoor zou je een punt moeten vinden waarop een horizontale en een verticale vector die tot in het oneindige worden doorgetrokken elkaar niet kruisen. Op dat punt in het heelal zou ik graag mijn muziekstandaard opstellen om mijn etudes te spelen.

Op een avond toen ik terugkwam uit de schuur en aanschoof aan tafel, zei mijn vader: 'Ben je binnenkort klaar, denk je?'

'Klaar waarmee?'

'Met studeren. Ik wou de grasmaaier weer eens in de schuur zetten. En het tuinmeubilair.'

Het duurde even voor het tot me doordrong. Ik kon nog vijfhonderd jaar lang dagelijks mijn lage bindingen doen, nog een miljoen etudes spelen, en dan nog zou ik de volgende dag mijn toeter moeten pakken en ze opnieuw doen. Als ik een dag niet studeer, begint alles wat ik in de maanden ervoor heb opgebouwd af te brokkelen. Na een week niet studeren ben je een halfjaar wél studeren kwijt.

Als je straks een beroemde trombonist bent, dacht ik, moet je nóg elke avond voor het slapengaan twee uur studeren, helemaal alleen. Het leek me de meest romantische gedachte die er bestond.

Het gezwets van oom Walt

De symptomen van een auditie zijn dezelfde als die van een verliefdheid: klamme handen, suizend hoofd, hol gevoel in de maag. Maar de liefde heeft nog nooit zo ver weg geleken als op het moment dat ik op het conservatorium verschijn voor mijn toelatingsexamen. Er is geen liefde te bekennen in de grijze tapijttegels in de gangen van het conservatorium, noch in het kleine naar automatenkoffie ruikende kamertje met het lage plafond waar ik heen gebracht word door een derdejaars conservatoriumstudente (stijve grijze rok, lang haar in een paardenstaart, hoofdvak fagot, bijvak harmonie- en fanfaredirectie). Ze sluit de deur en ik ben alleen met een roedel muziekstandaards, mijn trombone en handen die nooit meer warm gaan worden. Als ik de koffer open klap staart het koper me koud aan.

Er zijn dagen dat je instrument in je handen springt als een jonge Italiaanse echtgenote, warm en soepel, gretig om te beginnen. Je hoeft niet in te spelen, je hoeft hem alleen maar aan je mond te zetten en het werk wordt voor je gedaan. Dat zijn dagen dat je muziek kunt slaan uit de bruggen en de bussen, dat de balkons al beginnen te zingen als ze je zien aankomen en op het podium de piano- stemmer zich naar je omdraait met een fijn lach- je, terwijl hij zachtjes de klep over het klavier sluit.

Maar er zijn ook dagen dat trombonespelen even makkelijk is als het opdreggen van een voor- malig maffiagezinshoofd met betonnen pantof- fels. Zo voelde het in Rotterdam. Mijn auditie op het Haags conservatorium had veel weg van een lift die richting de kelder suisde terwijl iemand in mijn oor stond te schreeuwen dat je het kunt over- leven mits je vlak voor de klap een sprongetje maakt. En na mijn toelatingsexamen in Utrecht bleef het koude zweet vier volle dagen op mijn li- chaam staan.

Mijn tour langs de Nederlandse conservatoria-examencommissies eindigt in Maastricht, waar Bart van Lier (de beste jazztrombonist van Nederland) in de commissie zit. De meeste mensen vinden toelatingsexamen doen bij één conservatorium meer dan genoeg, maar ik heb het zekere voor het onzekere genomen. Ik kan er maar beter rekening mee houden dat ten minste één van de commissies mijn talent niet zal herkennen. Aan alles is gedacht. Bovendien zal ik, nadat ik ben toegelaten door de drie overige conservatoria, de stad waarin ik ga studeren voor het uitzoeken hebben. Een stad waarin ik over straat zal lopen met mijn trombonetas over mijn schouder; en als vrienden vragen waar ga je heen, dan zal ik niet zeggen 'naar het conservatorium', maar 'naar school' — want dat is hoe conservatoriumstudenten het noemen.

Als het klopje op de deur klinkt ben ik even klaar voor mijn auditie als een paard voor de lijmfabriek. Ik loop achter de fagottiste aan naar de auditiekamer. Bij de deur fluistert ze: 'Ben eigenlijk een geheime prinses. Alleen mijn pannen zijn kwijt.'*)

Ergens in de verte, midden in een reusachtig rood vlammend haardvuur, zit de examencommissie. Wie het sein geeft dat ik mag beginnen weet ik niet meer, ik zet gewoon af en na een paar minuten bevind ik me ergens in het midden van de kamer, een meter of anderhalf boven de grond. Het valt niet mee om zo mijn muziekstandaard in de juiste positie te krijgen. Juist als ik hem precies op de goede hoogte heb en mijn auditiestuk erop wil zetten, maak ik een onhandige manoeuvre met de schuif en maai de stan-

*) Later heb ik dit herleid tot: 'Veel succes. Blijf ontspannen, neem de tijd.'

daard om. Mijn etude dwarrelt naar de vloer.

'Doet u maar rustig aan,' klinkt het uit het laaiende vuur.

Het belangrijkste is dat je op zo'n moment goed blijft ademen. Goed ademen betekent diep ademen. Mijn nieuwe leraar vergelijkt het altijd met het vol stapelen van een zak aardappelen, daarmee begin je ook niet bovenaan. De meeste mensen kunnen niet anders dan korte snokjes lucht binnenzuigen die ter hoogte van hun schouderbladen blijven steken – daarom is er zoveel verdriet en onrecht en ziekte in de wereld – en ze weten niet dat het fundament, de adem waarop je drijft en waarmee je je instrument aandrijft, ongeveer ter hoogte van de schaamhaargrens moet liggen. Hoe zenuwachtiger je bent, hoe moeilijker dat is. Het is als ademen op grote hoogte: hoe hard je ook hijgt, je krijgt niet genoeg binnen. Je hoofd begint te tollen en je krijgt hallucinaties.

Gelukkig heb ik hard geoefend op mijn adem-
techniek. Weliswaar sta ik nu ineens met een
steenkoude trombone in mijn vingers op een be-
sneeuwde berghelling en zie ik de sherpa's ver
onder mij in paniek het dal in hollen, maar ik
blijf rustig ademen, zij het iets sneller dan normaal. Door de bittere kou beweegt de schuif
weer niet soepel en ik kan de hoge noten – kijk,
ik ben zelfs al begonnen met spelen – er alleen
uit krijgen door het mondstuk hard in mijn lip te
drukken en mijn mondhoeken hoog op te trekken, maar ik krijg ze er wél allemaal uit, alle noten, een hele prestatie op deze altitude. Ik hoef
maar een keer of twee te stoppen om opnieuw te
beginnen, omdat ik niet meer weet waar ik gebleven ben.

Als ik de laatste noot speel – een lang aange-
houden B^b, die helaas op het eind aan mijn macht
ontsnapt en begint te wapperen, maar waarschijnlijk hebben ze dat niet gemerkt –, merk ik

ineens dat een van de commissieleden naast me staat.

'Speel eens een lange noot,' zegt hij (het is Bart van Lier).

'Hoezo,' zeg ik.

'Speel nou even een lange noot.'

'Maar ik ben al klaar.'

'Ik probeer je wat te leren,' zegt hij.

Ik haal mijn schouders op en blaas.

'Wat doe je nou?' vraagt hij verbijsterd.

Geërgerd haal ik de trombone van mijn mond.

'Spelen natuurlijk.'

Hij schudt zijn hoofd.

'Weet je zeker dat je trombone wilt leren spelen?' vraagt hij. De manier waarop hij dat zegt, zacht en dwingend, bevalt me absoluut niet.

'Natuurlijk,' zeg ik. 'Ik studeer al tien jaar.'

Hij knikt. Dan loopt hij terug naar de commissietafel.

Later heb ik gehoord dat Bart van Lier lang niet voor iedereen zo aardig is.

De terugreis vanuit Maastricht duurt zo'n zevenhalf jaar. Genoeg tijd om mijn toekomst te overdenken, al is het wel jammer dat ik geen toekomst meer heb.

Er zijn de afgelopen tijd vreemde dingen gebeurd, maar het allervreemdste is dat ik geen idee heb waarom alles zo gelopen is, en waarom ik het niet heb zien aankomen. Het is of ik geblinddoekt, met proppen in mijn oren, heb lopen rond schuifelen in een landschap waar ook een trein rond denderde.

Ik neem mijn koffer op schoot en knip de slotjes open. Mijn trombone ligt schuldbewust in het rode fluweel.

'Jij kunt het ook niet helpen,' zeg ik, terwijl ik de beker streel. 'Het ligt aan mij, ik heb er niet genoeg aan gedaan.' Ik doe snel de koffer weer dicht zodat hij niet ziet dat ik lieg: ik heb er alles aan gedaan en het is toch niet gelukt.

Ik haal nog eens het formulier uit mijn zak dat ik na het toelatingsexamen heb gekregen. Solfège, harmonieleer, akkoordenkennis, alle vakken staan erop, alle vaardigheden die een muzikant van je maken. Maar nergens is een cijfer ingevuld. Het hele formulier is leeg. Alleen onderaan, bij 'Opmerkingen', staat: *het ontbreekt kandidaat aan basisvaardigheid trombonespelen.*

Ik leg mijn voeten op de bank en adem in en weer uit. In en weer uit. Ik heb een mooie, ontspannen ademhaling. Mijn lippen tintelen. Ik neurie, flarden van de etudes die ik gespeeld heb, in Rotterdam, in Utrecht, in Maastricht. Mijn tour is ten einde. Geen audities meer om zenuwachtig over te zijn. Ik zit bij het raam en het ontbreekt me aan basisvaardigheid trombonespelen.

Ik ben heel ver van huis en ik denk aan alle dingen die ze je vertellen als je jong bent, alle klotefabels waar de hele klotetoestand op ronddrijft: dat je alles kunt bereiken wat je wilt, als je het maar echt wilt. President van Afrika worden. Genezen van kanker. Een beroemde trombonist worden. Dat het goede altijd overwint, dat iedereen krijgt wat hem toekomt, dat liefde voor eeuwig is en al dat andere gezwets van je ouders en oom Walt en de Happy-End-industrie.

Trombonegebeden

I

'Hoe zien huis en hof eruit, daar waar u woont en u om alles bekommert? Daar spelen vele muzikanten oneindig veel melodieën.'

— Guru Nânak

II

Geef ons
een zuiver oor
dat wij u mogen horen
en een nederig gemoed
als wij vals klinken

Geef ons
de juiste partijen
dat wij u mogen vereeuwigen
in zuivere harmonie

Want uw partituur geschiede
uw uitvoering kome
van nu tot in de eeuwigheid
tot aan de pauze.
Amen.

III

O bron van zijn, uit wie alle geluid straalt
bundel jouw geluid ook in mij
Laat mij delen in jouw harmonie.
O toeter maak mij vrij.
Uit jou kwam ik voort.

                              – Paulus de apostel

IV

Ik behoor niet meer mijzelf toe, maar jou. Plaats me waar je wilt, in de nederigste sectie, op de onbelangrijkste noten. Laat me begeleiden wie je wilt. Laat me studeren, laat me lijden. Zet me voor je in of zet me opzij. Laat me vervuld zijn, laat me leeg zijn. Laat me spelen, laat me de maten rust tellen.

Heerlijke en verheven Trombone, Bazuin, Mondstuk en Schuif: je behoort mij toe en ik behoor jou toe. Zo zal het zijn.

Bevestig in de kleedkamer en op het podium de band die ik hiermee heb vernieuwd.

Amen.

— Anoniem, uit het Duits

De olifant en de hoppopitamus

And dig, man, there is the saxophone player blowing some notes with a trombonist, man, and the trombone sounds like an elephant coming through the jungle, man, and the saxophone sounds like some weird prehistoric bird. Man, these are musicians. This is simply marvelous music, man, I'm so happy, I'd better stop now, man, I have to go and buy a submarine. The trombone and the saxophone are gut musicians, man, go anywhere, play anything, not afraid to leap around with their axes, man, they don't give a damn, they've been shuffling around spaced-out for ages, man, the trombone sounds like an old hippopotamus, man, saying good morning – HOPPOPITAMUS?

Man, that was my dream last night, man, I was playing music with an elephant and a hoppopitamus, man, saxophone and trombone and moonlute, man, making jungle sounds in the park, fingering and sliding, microtone picking of supreme swiftness, saxophone making jungle rivers of smooth notes and a hollow wooden boat going along on that river, what music man, vision music ineffable.

— William Kotwinkle, The Fan Man

In de zomer van 2004 ruim ik mijn boekenkast op. In een oude doos vind ik een stapel agenda's uit de jaren tachtig, mijn studietijd. Na mijn afwijzing voor vier conservatoria is het een gewone studie geworden, in een studentenstad zonder conservatorium.

Met stijgende verbazing blader ik de agenda's door. In die tijd gebruikte ik een stempel van een trombone om in mijn agenda aan te geven wanneer ik een optreden had. De bladzijden zien rood van de stempels.

'9-half 1 Amsterdam, drums aanwezig (basversterker ophalen!), fl 150,- (pp!)'

'African Music Fest, R'dam (fl 75,-), Onno bellen voor lift (conga regelen!)'

Veel uitroeptekens. Grote hanenpoten en vlekkerige, triomfantelijke stempels bij elk optreden. Ik speelde vijf, zes keer per week. Ik raak nog steeds opgewonden bij het geluid van de telefoon. Als de telefoon gaat denk ik meteen dat we moeten spelen en nooit dat het de brandweer is die belt. Ik weet nog precies hoe het is als je een zaal binnenloopt en ruikt hoe het optreden die avond zal verlopen. Maar van de honderden keren dat ik een drummer, een invaller, een geluidsinstallatie en een smokingoverhemd moest regelen, herinner ik me niets meer.

Toen het duidelijk was dat ik niet naar het conservatorium zou gaan, zat er niets anders op dan me voor te bereiden op een leven zonder muziek. Het idee om van trombonespelen een hobby te maken, zoals mijn ouders opgelucht voorstelden, vervulde me met diepe walging. Hobby's zijn de scherven van wat eens een grote passie was. Vertel me je hobby en ik zeg wat er misging in je leven. Modelbouwen? Je vader dronk, je moeder at, en jij sloot je elke avond op in je kamertje met een schaalmodel van de *Fighting Temeraire*, een trotse vijfmaster die vlak voor voltooiing door je oudere zus in elkaar werd getrapt omdat je haar oogschaduw gebruikt had voor het aanbrengen van levensechte roetstrepen op de kanonslopen. Puzzelen? Vooral sudoku? Je ging waarschijnlijk voor het eerst met een vrouw naar bed op je drieëndertigste, ze heette tante Poes en rook naar bleekmiddel. Golfen? U hebt een intimiteitsprobleem, een loopbaan met een knak erin, een minderwaardigheidscomplex dat er maar nét onder gehouden wordt door uw twee commissariaatjes, een gillend overschot aan tijd en waarschijnlijk een abonnement op *NRC Handelsblad*.

Als je jong bent heb je de overtuiging dat je liefdes eeuwig zullen duren. Dat is de enige manier om de hoop niet te verliezen: de gedachte dat je niet je hele leven door kunt gaan met wat je het liefste is — turnen, ballet, muziek, majorette zijn — is ondenkbaar. Daarom bleef ik tijdens mijn surrogaatstudie stug trombone spelen. Misschien is dit wel een goed moment om mijn ex-

cuses te maken aan mijn toenmalige huisgeno-
ten, die stoïcijns vele uren lipbuzzen en lage bindingen hebben moeten verdragen. Ik hoop dat ze
nog allemaal nette artsen en advocaten zijn geworden.

Als ik niet aan het studeren was, zat ik aan de
telefoon om optredens te regelen. Al in mijn eerste jaar was ik in een jazzbandje terechtgeko-
men, en voor ik het wist reisde ik elk weekend
naar alle uithoeken van Nederland om bruilof-
ten en partijen op te luisteren – om een publiek
van zwetende ooms en hysterische tantes 'de
mooiste avond van hun leven te bezorgen', zoals
we tegen elkaar zeiden als we over de snelweg
suisden, een bosje sigaretten in elke hand, de
held van het moment op de cassetterecorder, het
dashboard vol gestapeld met chips en M&M's.

Als ik niet over het volgende optreden aan het
dromen was, of aan het bijkomen van de kater
van een mislukte schnabbel, reisde ik naar het

conservatorium in Den Haag. Daar had ik een leraar gevonden die bereid was me alles af te leren wat ik in de loop van tien jaar over trombonespelen geleerd had.

Bij onze eerste kennismaking liet hij me een etude voorspelen. Nadat ik drie noten gespeeld had legde hij een zachte hand op de schuif, zodat ik het instrument moest laten zakken. Tot op de dag van vandaag is hij de enige die dat gedaan heeft waarbij ik niet direct wit van woede werd.

'Laat je trombone de komende weken maar thuis,' zei hij met een melancholiek lachje. 'Alleen je mondstuk is genoeg, voorlopig.'

Ook daar werd ik niet boos om. De rest van de middag stonden we met onze mondstukken aan de mond tegenover elkaar en produceerden toeterende en blatende geluiden, als twee steppedieren die elkaar een wijfje betwistten. Af en toe klonk een knetterende wind door de kamer.

Ook daarbuiten ging mijn ontwikkeling als

trombonist verder. Ik droeg altijd mijn mondstuk in mijn zak, een geruststellende zware klont
die bij elke stap tegen mijn dij klopte. Ik zat
urenlang gebogen over de platenspeler, waarbij
ik steeds hetzelfde stukje opzette en probeerde
na te spelen. Minstens vijf keer zat ik met een
cassetterecorder in mijn hand bij de tv als de
film *Private Benjamin* kwam; niet vanwege Gol-
die Hawn in een legeruniform, maar omdat ergens in de film in een café een gezapig bandje
een gezapige versie van *Body & Soul* speelt, om
te huilen zo mooi. Ik mengde als een alchemist
vaseline, haargel, glycerine, uierzalf, bronwater,
zonnebloemolie en een Geheim Ingrediënt tot
het beste glijmiddel. Ik begon naar muziek te
stinken.

Een onverwacht bijverschijnsel van de tromboneliefde was dat ik volledig het zicht verloor op
de muziek van mijn generatie. Dat werkt door

tot op de dag van vandaag: tussen de dertigers en veertigers die op de dansvloer mee staan te blèren met de tophits uit onze jeugd sta ik met mijn mond vol tanden. Ook heb ik er een enorme hekel aan elektrische gitaren aan overgehouden. Er is iets helemaal mis met de proporties van muziek als een schriel jongetje met een gitaar om zijn knokige schouders maar een knopje hoeft om te zetten om het volume van een jumbojet te produceren. Wat een nep. Net als dat gezwaai met grote bossen nat haar, ontblote bovenlijven en het gehak met gitaren op boxen. Naast de ultieme *coolness* van Miles, Coltrane, Parker en Armstrong zien popmuzikanten eruit als iets dat te lang in een leefnet heeft gezeten.

Elk jaar een nieuwe smoking, omdat de oude na een jaar spontaan uit elkaar was gevallen door de wekelijkse onderdompeling in zweet, tabak en

De ultieme coolness van Walter 'Phatz' Morris (1956).

verzoeknummers. Op het podium staan naast de trompettisten, de pianisten, de drummers en naar ze kijken. Naast de saxofonist staan als hij aan een solo begon, luisteren hoe hij moeiteloos alle hindernissen nam, er luchtig overheen sprong, ze lachend uit de weg schopte. Hij stond een meter van me vandaan, ogen dicht, over de microfoon geleund die vergeefs om genade smeekte. Een glanzend streepje zweet liep van zijn slaap naar zijn wang. Ze zeggen wel dat het licht van de schijnwerpers mensen mooier maakt, maar dan moet je niet te dichtbij komen.

Ik stond zo dicht bij hem dat ik zijn zweet kon ruiken, en het parfum van de vrouw die zich net buiten de kleedkamer tegen hem aangedrukt had. Zijn nek zwol op als die van een kikker, zijn adamsappel wipte op en neer, de spieren in zijn schouders en nek tekenden zich af en het speeksel glinsterde aan zijn mondhoeken, steeds als hij ademhaalde en aanzette voor een nieuwe zin. Soms kreeg ik het gevoel dat hij en zijn instrument niet meer te scheiden zouden zijn, dat ze na een solo vergroeid zouden blijken. Ik leerde honderden namen van dode Amerikanen, van mannen die na één legendarische opnamesessie naar het zuiden waren vertrokken met hun koffer onder hun arm, waarvan niemand ooit nog gehoord had. Ik leerde de data waarop belangrijke sessies hadden plaatsgevonden, de namen van alle *sidemen* die er die dag bij geweest waren, inclusief de naam van het jongetje dat om sigaretten werd gestuurd. Mijn platenverzameling woekerde de kast uit, omdat ik alles kocht waarvan ik het vermoeden had dat een zekere trombonist er wel eens op mee zou kunnen spelen, al was het maar in een begeleidend refreintje. Altijd op zoek naar iets dat je geen naam kon geven, dat voortgleed als een junglerivier van gladde noten, en een holle houten boot op de rivier met een olifant erin en een oude hoppopitamus – Goedemorgen! –, en niet bang zijn om naakt in de jungle rond te springen met je machete boven je hoofd.

Altijd op zoek, tot mijn armen aanvoelden als

ouwe kauwgom van de drie steeds verder uit-scheurende plastic zakken vol platen die ik al de hele middag droeg. Het liefst had ik de hele win-kel leeggekocht, maar het schnabbelgeld van de week was maar toereikend voor een plaat of der-tig. Daar zaten dan wél drie schitterende verza-melboxen bij, al mijn favoriete trompettisten, trombonisten en pianisten verzameld, en onge-twijfeld tientallen hoogst intrigerende sidemen waar ik nog nooit van gehoord had. En niet te vergeten: alle nummers die ik nu nog niet kende maar die straks allemaal tot mijn repertoire zou-den behoren (in die dagen was ik ervan overtuigd dat je alleen een goed jazzmuzikant kunt zijn als je het *hele* repertoire uit je hoofd kent, van *Achin' Hearted Blues* tot *Zing! Went the Strings of my Heart* – en dan hebben we het alleen nog maar over het jazzrepertoire: salsa, funk, R&B etc. la-gen nog te wachten).

Thuisgekomen deed ik lukraak een greep in

de tassen met platen en zette de eerste lp op. In verrukking luisterde ik naar het eerste nummer. Het tweede nummer: ook prachtig, al leek het wel een beetje op het eerste. Bij het derde nummer wist ik het zeker: dit nummer had ik al gehoord. Sloeg de plaat soms over? Het zou voor het eerst zijn dat de naald een heel nummer oversloeg.

Ik pakte de hoes erbij. Het eerste nummer was *All of you*. Het tweede nummer was *All of you*. Het derde nummer was óók *All of you*, zij het met de toevoeging *Alternate take*. Wat had ik me nou in mijn maag laten splitsen? De hele verzamelbox stond vol met tweede, derde, vierde en zelfs vijfde versies van dezelfde nummers, vaak met commentaar als 'Take 5 to middle of trumpet solo, then Take 4', of bij een versie van maar twintig maten: 'False start with discussion between Leonard Bernstein and unknown other.' Had ik misschien tegen die verkoper gezegd: 'Ik wil graag vier vrijwel identieke versies van *All of you*, en daarna álle versies van *Dear Old Stockholm* die er op die opnamesessie in 1956 gespeeld zijn?' Had ik misschien gezegd: 'Ik wil het liefst een plaat waarop een uitvoering van *Sweet Sue, just you* onderbroken wordt voor een discussie met Leonard Bernstein?'

Ik was wel gek, maar niet zo gek dat ik ooit gewend raakte aan die bizarre heruitgaven van klassieke opnamesessies, waarbij ook het kleinste snippertje van de vloer van de montagekamer opgeraapte muziek als bonustrack op de cd gezet moest worden, inclusief alle mislukte introotjes en wrakke modulaties. Behalve dat ik me steevast bekocht voelde – er zijn maar weinig muzikanten die bij elke *take* een nieuwe solo produceren –, begrijp ik ook nog steeds niet waar het goed voor is. Als een artiest of een producer juist díé versie van een stuk gekozen heeft voor de plaat, waarom zou je dan alle voorafgaande experimenten ook willen horen? En als je zo graag wilt weten wat er zich tussen de opnames door heeft afgespeeld, waarom dan niet meteen een microfoon in de studioplee opgehangen?

(*Noot van de auteur*: Het is vanwege mijn respect voor de lezer dat ik mij verplicht voel te waarschuwen: dit gaat nog negen pagina's zo door. Er volgen nog uitgebreide analyses van nummers van Thelonious Monk en Miles Davis, interpretaties van opnamesessies, enkele sneren naar platenmaatschappijen en een verder onderzoek naar de vraag: is het belangrijk dat wij weten wat er tussen de opnamen door in de wc gebeurde? Ik waarschuw van tevoren vanwege Marijke B., de vriendin van een collega-trombonist met wie ik vaak platen draaide. Zodra wij het over embouchure, Vic Dickenson en polyritmiek gingen hebben trok zij zich discreet terug op de slaapkamer met een stapel damesbladen.

Ik herinner mij haar blik als ze zich verwijderde uit onze conversatie. Dus als u zich voor de rest van dit hoofdstuk wilt terugtrekken op de slaapkamer zult u mij niet horen. Dan zie ik u weer op pagina 121. AJ)

Mensen die over muziek (en met name over jazz) schrijven, zijn vaak gefascineerd door de meest triviale gebeurtenissen, als die zich tenminste in een studio hebben afgespeeld. Om een voorbeeld te geven: als iemand tijdens een studio-opname op een tafel met de drummer mee zit te tikken, is dat dan het vermelden waard? De schrijver van de *liner notes* bij de heruitgave van de complete Prestige-opnamen van Thelonious Monk, Peter Keepnews (zoon van Riverside-eigenaar Orrin Keepnews), vindt van wel. Het gaat om Monks eerste opnamen voor Prestige uit 1952, met Art Blakey op drums en de bassist Gary Mapp, een vriend van Monk die in de jazzhistorie verder geen enkele rol van betekenis heeft gespeeld*).

Het eerste nummer van die sessie, Monks eigen *Bye-Ya*, is volgens Peter Keepnews 'as close as Monk ever came to a straightforward Afro-Cuban groove'. Blakey is volgens de schrijver de geknipte drummer voor dit soort 'polyritmische' muziek. Met de opwinding van een jonge woudloper die een nieuw soort mestkever meent te

---

*) Dát vind ik nou weer wel fijn om te weten: een muzikant die maar op één legendarische sessie heeft meegedaan (omdat het genie en hij weleens een biljartje legden) en waarvan naderhand nooit meer iets vernomen is. Zeker als ik lees dat Mapp in het 'echte' leven een New Yorkse politieman was, 'who moonlighted as a jazz bassist', terwijl Monk zelf op dat moment zijn cabaret-card (die door het New York Police Department werd verstrekt) was kwijtgeraakt en het voor hem dus verboden was om te spelen op plaatsen waar drank verkocht werd; ja, dat zijn dingen die de muziek beter doen klinken, of die je in elk geval in de pauzes aan andere muzikanten kunt vertellen.

ontdekken, vermeldt hij vervolgens: 'It isn't quite as polyrythmic as it may at first sound, however: although no discographies mention it, close listening will reveal that someone is augmenting Blakey's drum part by pounding out a steady mambo beat on a table or some other surface.'

Even luisteren dan maar. Ja, verdomd, op de achtergrond zit een of andere idioot een houterig clave-ritme mee te tikken, waarmee hij zowel Blakey als Monk in de weg zit. Ben ik blij dat ik dit nu weet? Nee. Peter Keepnews had dit nieuwtje best voor zich mogen houden. De muziek wordt er echt niet beter van.

Tijdens een van Monks andere Prestige-opnamen gebeurden er dingen in de studio waar veel jazzvorsers zich het hoofd over gebroken hebben. Het gaat om de beroemde opnamen op 24 december 1954, met Miles Davis als leider, Milt Jackson op vibrafoon, Percy Heath op bas en Kenny Clarke op drums. Volgens de overlevering zouden Monk en Miles tijdens de opnamen bijna vechtend over de studiovloer zijn gerold. Hoe het verhaal ook in de wereld is gekomen, het is onwaarschijnlijk dat het werkelijk gebeurd is, alleen al vanwege het feit dat de tengere Miles niet zo stom zou zijn geweest op de vuist te gaan met iemand van het gespierde, beerachtige postuur van Monk. Zoals Miles zelf zei in zijn autobiografie: 'If I had ever said anything about punching Monk out in front of his face — and I never did — then somebody should have just come and got me and taken me to the madhouse, because Monk could have just picked my little ass up and thrown me through a wall.' En Monk zei erover, op zijn eigen adequate manier: 'Miles'd got killed if he hit me.'

Discussie gesloten.

Alleen niet volgens jonge woudloper Peter Keepnews. Er is misschien niet gevochten, die dag in 1954, maar er was wel degelijk iets aan de hand. 'Clearly there was tension: it is actually audible in Monk's solo on the first take of *The Man I Love*, when he attempts the tricky maneuver of cutting the tempo in half (after the bass and drums have *doubled* it) but then appears to lose his way, whereupon Davis puts his trumpet to his lips and plays a mocking wake-up call.'

Goed – als we gaan *hineininterpretieren* weet ik er ook nog wel een paar. Op de eerste take van *The Man I Love* is inderdaad te horen hoe Monk zijn solo in *half time* speelt over een begeleiding die stug doorgaat in *double time*. Het is inderdaad zeer *tricky*, en Monk houdt inderdaad halverwege het tweede A'tje op met spelen. Er valt een ongehoord spannende stilte, die door Miles onderbroken wordt met een ritmisch figuurtje halverwege de bridge. Monk reageert onmiddellijk, alsof hij op Miles' interventie heeft zitten wachten. De rest van de solo speelt hij in het gewone tempo uit, waarbij de laatste maten weer door Miles worden overgenomen.

Betekent dit dat Miles en Monk inderdaad ruzie hadden? Als ik mezelf in deze situatie probeer in te denken: ik zou de pianist met wie ik ruzie heb op zo'n moment lekker laten modderen. Ik zou hem zeker niet terug op het rechte spoor helpen. Miles doet dat wel: hij geeft Monk een steuntje in de rug.

Een tweede vraag werpt zich op bij herluisteren: was Monk wel echt de weg kwijt? Hij draait weliswaar de beat om, maar dat is niets bijzonders, dat deed hij vaak genoeg expres. Ook is de begeleiding van bassist Heath onberispelijk. Het is bijna niet mogelijk om de weg kwijt te raken bij de overduidelijke harmonieën die hij speelt, zeker niet voor iemand van Monks grootheid. En ten slotte springt Monk zo gretig in op Miles' interventie dat je bijna gaat denken: hij zat erop te wachten, als een kat bij een muizenholletje. Miles trapt erin, en hij plaagt daarna terug door de laatste maten van Monks chorus af te snoepen, als Jerry Mouse die

Tom Cat zijn eigen staart af laat hakken.

Op de tweede take van *The Man I Love* doet Monk nog eens hetzelfde. Dit keer met nóg beter resultaat: hij speelt de hele solo uit in half time; het wringt en het kraakt aan alle kanten maar hij houdt de teugels in handen, al schuift hij heen en weer op de bok als een koetsier met aambeien. Als Miles weer inzet ondersteunt hij diens solo met een logisch uit zijn eigen solo volgend patroon dat de trompettist *auf Flügeln des Gesanges* naar het slot voert.

Conclusie: er was helemaal niets aan de hand tijdens die legendarische sessie in 1954; integendeel, iedereen was juist de beste vrienden, er werd gedold bij het leven en na afloop gingen ze allemaal met de armen om elkaars schouders naar Monks huis (Monk droeg Miles zelfs een eindje op zijn schouders), waar Nellie*) al klaar-

*) Nellie was de vrouw van Thelonious Monk.

zat met het bier en de geroosterde ribbetjes.

Is dit wat er is gebeurd? Nee, maar het is net zo waarschijnlijk als alle andere interpretaties van deze studio-opnamen, de *alternate takes*, het gemompel in de pauzes, de missers en nieuwe pogingen (Milt Jackson begint de eerste take van *The Man I Love* met een fout intro! Zou hij stoned zijn geweest? Of dronken? Of had híj net met Monk gevochten!? Dat is er natuurlijk gebeurd!).

Nogmaals stel ik de vraag: waarom willen mensen weten wat er in de studio is gebeurd? Hoe kan iemand meer in vervoering raken van een paar minuten afgekeurde muziek met een kicks van de trompettist, dan van een perfecte opname met vlekkeloze solo's? Het heeft alles te maken met de goddelijke status die de oudste generatie jazzmuzikanten zo langzamerhand heeft. Ze zijn dood, we kunnen ze niets meer vragen. Al wat ons rest is de muziek zelf, maar daar zijn we niet tevreden mee. We willen weten hoe het was toen het ontstond, we willen erbij zijn, bij de geboorte van Armstrongs eerste Hot Five-opnamen, bij de kruisiging van de Kansas City-tenoren door Lester Young, bij de herrijzenis van Duke Ellington in Newport, bij de *Giant Steps* die John Coltrane nam bij zijn hemelvaart. Zolang de bijbel bestaat is er raadsel, ruzie en rumoer geweest over de interpretatie van Gods woorden. Ook over het evangelie van de hogepriesters van de bebop zullen mensen nog lang praten, omdat er altijd mensen zullen zijn die niet beseffen dat je enkel wijzer wordt door te luisteren.

De Fanfare van Sidder en Beef

*Allen zullen wij niet ontslapen, maar allen zullen
worden veranderd, in een ondeelbaar ogenblik, bij
de laatste bazuin, want de bazuin zal klinken en
de doden zullen onvergankelijk worden opgewekt
en wij zullen worden veranderd...*

— 1 Corinthiërs 15:51-2, 54-5

Het gaat om het gevoel van met je koffer over
straat lopen, en om de mensen die omkijken en
denken: hé, daar gaat een muzikant.

Alles ligt erin besloten, het hele leven van een
muzikant onderweg naar een concert. Het aankomen bij de zaal, het kraken van je pas gepoetste
schoenen op het parket, de geur van de kleedkamer (in het Concertgebouw ruiken ze naar vers
gesteven hoge boorden, amandelkoekjes, lekkere
sigaren en een vleugje plantagezweet), de rituele
begroetingen ('Maestro', 'Pik', 'Amigo', 'Je bent

laat'), de voodoo waarmee je je instrument prepa-
reert, het inspecteren van de ijskast, het inspelen,
de aloude wroeging voelen dat je niet genoeg gestudeerd hebt, door de gordijnen loeren hoe vol
het is, het wachten, en dan het voelbare vibreren
van het heelal als je het podium betreedt en de
eerste noten klinken. Het is er allemaal al als je je
huis verlaat, alles compleet en volmaakt. Je bent
alleen met jezelf en je hebt niets en niemand nodig.*)

*) Jaren geleden woonde ik in een huis met een Franse deser-
teur die graag door de stad liep met een vioolkist onder zijn
arm. Het voelde heel natuurlijk aan, zei hij. Als hij daarmee
liep was hij automatisch violist. Bovendien wist hij anders niet
goed waar hij naartoe moest. Met die kist onder zijn arm dach-
ten de mensen dat hij ergens viool ging spelen. Hij heeft, on-
danks mijn aandringen, nooit een instrument bespeeld, nog
geen blokfluit. Hij wilde het niet eens proberen. Tegenwoordig zit hij ergens in het Midden-Oosten en verkoopt dingen
van de ene kant van de wereld naar de andere.

Een meisje met wie ik samenwoonde zei een keer: 'Je hoeft me niet per se gedag te zoenen als je gaat spelen, maar als die deur achter je dicht-valt weet ik nooit zeker of je nog terugkomt.'

Het werd vaak later dan we hadden afgespro-ken – er was altijd nóg een verzoeknummer, en daarna stonden we buiten bij de auto's, in het licht van de koplampen, en verdeelden het geld: 'Jij kreeg nog vijfentwintig van de vorige keer, en vanavond is het honderdvijftig, dus...'

Het werd vaak later, maar ik kwam altijd te-rug. En nu zijn we niet meer bij elkaar. Ze hoort bij het verleden. Ze hoort bij het gevoel van toen. Nooit meer, in al die jaren daarna – goede baan, leuke vrienden, geld op de bank –, heb ik een ge-voel gehad dat ermee te vergelijken is.

Was het geluk? Ik denk het niet: geluk zou ik waarschijnlijk wel herkennen. Ik ben op ande-re momenten veel gelukkiger geweest. Vrijheid dan? Ik herinner me de enorme druk die het op je legde om er elke avond te staan en te doen alsof het je eerste optreden van het jaar was, terwijl een beroerde invaller op trompet intussen mistroostig naar de arrangementen zat te staren. Nee, vrijheid was het niet. Het was het gevoel dat het elk moment mis kon gaan, en dat dat niet uitmaakte. Het was uit de tijd dat je niks te verliezen had.

We hebben het nog vaak over die tijd, toen ons leven nog een volkomen persoonlijke zaak was. Sommigen zijn gestopt met spelen, anderen hebben om de twee weken een repetitie en elke maand één optreden, en voor de rest is het alsof we zijn aangeland op een rustig eiland waar nooit iets gebeurt, maar waar de hele nacht felverlichte cruiseschepen langs varen met fantastische orkesten aan boord. Wij zitten op het strand, moe van een lange dag, en we luisteren naar de opzwepende muziek die van het dek

klinkt, en we zeggen tegen elkaar dat het weliswaar leuk was, maar dat we echt niet meer zo
zouden willen leven als toen — dat we weleens
mannen tegenkomen die dat andere leven wél
leiden, en dat we blij zijn dat we daar niet aan
overgeleverd zijn, het is te zwaar, en te onzeker,
het kost te veel — en daarna doven we de lichten
en gaan naar bed, met geen andere reden dan de
volgende ochtend wakker worden in het leven
dat we hebben.

Het is ook alweer een tijd geleden dat ik lang
gestudeerd heb, hard en lang, tot je de tijd ver-
geet en knipperend opkijkt en het uren later
is; er zit sneeuw in de lucht en het wordt al don-
ker buiten. Ik ben er te lui voor, dus zet ik een
plaat op, het concert van Duke Ellington in Car-
negie Hall, 1943, *Black and Tan Fantasy*. Joe
'Tricky Sam' Nanton loopt naar de microfoon,
legt zijn *plunger* over de beker en daar klinkt: een
hongerige baby, een kattengevecht, een krolse

operadiva, allemaal uit één instrument. Daarna de blinde woede van Frank Rosolino, de Pagliacci van de jazz. De kokende woede waarmee hij *Love for Sale* speelt, hotsend op woeste stroomversnellingen van noten, met smeulende banden door de bocht.

Ik ga voor de kast met platen staan. Al de namen met wie ik gespeeld heb. JJ. Jack. Papó. J.P. Torres († 2005). Yoichi Murata. Brother Ray. Albert. Vic en Dickie en Jimmy en Trummy. Ik pakte mijn trombone op en ik was thuis. Ik wist waar ik wilde zijn als de trombones van het Laatste Oordeel klonken en de doden uit hun graf opstonden: op de tweede stoel in de trombonesectie, met links en rechts van me de geconcentreerde grijnzen van de rest van de trombonesectie, vóór me de stampende saxmachine, achter me de priemende kinnen van de trompetten, de mannen met de slaperige blik in hun ogen, de hoge notenkillers. Kom en luister, zondaars, naar de Fanfare van Sidder en Beef. We doen geen verzoekjes, maar we swingen als de hel.

En ik lach een beetje om die Blues Brothers-romantiek, al die roekeloos vergoten passie, en ik zet de trombone neer op zijn standaard en ga naar boven om tv te kijken. Dan hoor ik achter me het geluid van een trombone die omvalt.

Het is me één keer eerder gebeurd, in een café in Leiden. In de pauze zette ik mijn trombone neer op de standaard en ik was halverwege de bar toen ik de ziekmakende klap hoorde van metaal op een stenen vloer. Ik hoefde niet eens om te kijken. Het enige wat ik kon doen was mekkeren als een geit en neerhurken bij het onvermijdelijke. Ik wist het al voor ik hem oppakte: een moet.*)

Het schijnt dat ik kalm ben gebleven. Kalm en aardig tegen de drummer die zich uitgebreid verontschuldigde (het was zijn schuld), kalm terwijl ik de schade opnam en tot de conclusie kwam dat ik niet verder kon spelen. Ik schroefde kalm en bedaard mijn trombone uit elkaar en ik heb zelfs nog in alle kalmte iedereen een hand gegeven voor ik naar buiten liep met mijn koffer tegen mijn borst geklemd; en pas toen ik de hoek om was kotste ik op straat terwijl ik tegelijkertijd in snikken uitbarstte, een combinatie die ik iedereen van harte kan afraden.

Dat was de eerste keer dat ik overwoog met spelen te stoppen. Als ik die oude trombone niet

*) Een *moet* is voor een trombone wat een meniscusblessure is voor een voetballer: het kan genezen, maar het wordt nooit meer zoals het was. Het gebeurt als de trombone plat op zijn schuif valt en de rand van de beker in de schuif slaat, waardoor beide buizen (de binnenste en de buitenste) worden ingekeept. De schuif gaat aanlopen. Normaal spelen wordt onmogelijk. Een operatie is het enige wat erop zit, maar een succesvol vervolg van de carrière is eigenlijk uitgesloten.

meer had, dat instrument dat zich helemaal naar mijn handen en mijn adem had gevormd, dan hoefde ik helemaal niet meer te spelen.

Maar nu hij (inmiddels mijn vijfde instrument) voor de tweede keer in twintig jaar is omgevallen voel ik niets. Ja, ergernis vanwege het geld. Zo'n reparatie kost al snel veertig piek.

Ik beweeg de buis een paar keer op en neer. Het gaat eigenlijk nog best. Voor die paar repetities en dat enkele optreden van volgende maand kan ik er best op spelen. Zo belangrijk is het allemaal niet.

In het atelier bekijkt de reparateur de buis, beweegt de schuif een paar keer op en neer en werpt me over zijn halve brilletje heen een vragende blik toe.

'Ik heb hem deze maand nog schoongemaakt,' zeg ik. 'Dus je hoeft niet bang te zijn dat er allemaal derrie uit loopt als je hem repareert.'

'Er zit anders behoorlijk wat kalk in,' zegt hij, en verlegt zijn aandacht weer naar de buizen, alsof hij mijn aanblik maar moeilijk kan verdragen.

'Kalk?'

'Ja, kalk. Spuug en condens en vet vormen een kalklaag in de buis, en als je dat niet elke maand schoonmaakt... Maak je hem elke maand schoon?'

Mijn antwoord laat op zich wachten.

'Dat dacht ik wel.' Met een zucht stopt hij de schuif terug in het etui en het etui terug in de tas. 'Er zijn weinig mensen die iets van trombones begrijpen.' Hij geeft een geruststellend klopje op de tas, dat niet voor mij bedoeld is maar voor de trombone. 'Maar het komt helemaal goed hoor, met deze.'

De rest van de week ben ik onthand. Ik ben zo gewend om elk moment mijn instrument op te kunnen pakken dat ik het gerust weken kan laten. Ik voel een soort fantoompijn: drie, vier keer per dag grijp ik naar de plek waar hij zich hoort te bevinden. Ik heb pas rust als hij weer op zijn standaard staat, binnen handbereik.

Want het is onmogelijk een instrument los te laten als je eenmaal weet hoe je het vast moet houden. Als je hebt meegemaakt hoe het voor het eerst voor je begon te zingen, hoe je dingen bleek te kunnen waarvan anderen niet eens het bestaan vermoedden, als je hebt meegemaakt hoe de lantarenpalen met hun lange vingers knipten als je voorbij danste op weg naar een re-petitie, dan kun je het niet meer loslaten. Je kunt het verwaarlozen, soms maanden, maar het zal je weer roepen, want het is even afhankelijk van jou als andersom. Er zijn al zoveel dingen waar niemand meer aandacht aan besteedt. Aandacht is een verschrikkelijk schaars goed. De mensen kunnen hun hoofd maar bij twee dingen tegelijk houden en de rest vergeten ze, en daarna vergeten ze dat er nog een rest was. Maar aandacht schenken aan iets waar de rest van de wereld geen acht op slaat, stelt onze onrustige ziel gerust. Dus maak alle grappen maar, de boksgebaren, de scheten, imiteer nog eens het geluid van een kalf dat om zijn moeder roept. Van je retteketet. Van de muziek voor platvoeten die onvermoeibaar voortstappen. Maak alle grappen nog maar een keer. En laat me dan alleen, want ik moet studeren.

Amsterdam, 20 december 2005

*De Moeder van alle Trombonesecties: Joe 'Tricky Sam'
Nanton, Lawrence Brown, Juan Tizol, uit het orkest van
Duke Ellington (1942).*

TROMBONEHUMOR

Een trombonist staat bij de hemelpoort.

'Zeg het maar,' zegt Petrus.

'Een band graag,' zegt de man. 'Een fijne grote bigband waar deze *cat* tot in de eeuwigheid mee kan swingen.'

'Kom maar mee,' zegt Petrus.

Na een lange wandeling door hemelse zalen komen ze bij een grote concertzaal, de omvang van een half heelal. Het is tot de nok toe gevuld met een wild enthousiast publiek dat uit zijn dak gaat op de muziek van een woest swingende band op het podium.

'Daar is je stoel,' wijst Petrus. 'Je instrument staat er al. Veel plezier.'

De trombonist wordt door de andere trombonisten in de sectie glimlachend verwelkomd. Hij pakt zijn toeter, een prachtig instrument, en gaat zitten wachten op zijn solo. Het duurt alleen

nogal lang, want voor de band staat een langha-
rige altsaxofonist zich verschrikkelijk uit te slo-
ven: chorus na chorus speelt hij, en hij gaat maar
door.

De trombonist stoot zijn buurman aan.

'Wie is die uitslover?'

'O, dat is Jezus,' zegt de ander. 'Die denkt dat-
ie Charlie Parker is.'

Leidsch Studenten Jazz Gezelschap. Achterste rij v.l.n.r.:
Matthijs Willering, banjo & gitaar; Henk Robbers,
drums; Hans Olthoff, piano; Frans Bouwmeester, bas;
voorste rij v.l.n.r.: Arend Wegelin, trompet; Frank Wou-
ters, trompet; A.J., trombone; Pieter Andringa, altsax &
klarinet; Bernard Berkhout, tenorsax & klarinet; Jan
Wouter Alt, altsax & klarinet.

VERKLARENDE WOORDENLIJST

Arpeggio – reeks noten van een akkoord die na elkaar gespeeld worden

Bridge – 'tussenstuk' in een compositie

Buzzen – het 'zoemen' met de lippen, al of niet met behulp van het mondstuk. Opwarmoefening waar kleine kinderen en sommige volwassenen erg om moeten lachen.

Embouchure – lipspanning

Gig – schnabbel, optreden

Hofje – band, orkest

Jammen – speelkwartier op het podium; spelen zonder afspraken

Lage bindingen – typische tromboneoefening waarbij in het lage register in elke toonsoort gebonden noten worden gespeeld. Dagelijks verplicht

Lick – pakkende muzikale frase

Plunger – de rubberen 'gootsteen-ontstopper' die trombonisten gebruiken bij het spelen van bepaalde effecten

Sidemen – muzikanten die niet groot op de platen- of cd-hoes staan maar wel meespelen

Solfège – zangoefening

AANBEVOLEN STUDIEMATERIAAL

Branimir Slokar, *Works for trombone and orchestra*, Claves LC 3369

Ray Anderson, *It Just So Happens*, ENJA 5037-21

Frank Rosolino, *Free For All*, Specialty Jazz Series, OJCCD-1763-2

Jimmy Knepper, *Muted Joys*, Charly records, AFF 756

Albert Mangelsdorff, *Tromboneliness*, MP 68129

De solo van Angel 'Papo' Vásquez in *Patria* (*Motherland*), op Rubén Blades, *Antecedente*, Elektra 960 795-2

VERANTWOORDING

Het eerste hoofdstuk van *Tromboneliefde* verscheen in embryonale vorm in het tijdschrift *Jazz Nu* (tegenwoordig *Jazz*). Ook de analyse van de platen van Monk en Miles uit 'De olifant en de hoppopitamus' stond eerder in dit blad. Verder heb ik drie alinea's in hetzelfde hoofdstuk geleend uit mijn roman *De tol van de roem* en herschreven.

Illustraties: het vignet op de Franse titelpagina is naar een tekening van Walter Trier. De cartoon op p. 13 is afkomstig uit *The New Yorker*. De herkomst van *Trombone destillata* (p. 23) en de advertentie voor Newport-sigaretten op p. 61 is niet te achterhalen. De verkeerd-om gehouden sax op p. 65 is afkomstig van het programmaboekje van de stichting Jazz-impuls (www.jazzimpuls.nl). De afbeeldingen van trombones en bazuin op pagina's 52, 53 en 121 zijn overgenomen uit *The*

Trumpet and Trombone, an Outline of their History, Development and Construction van Philip Bate. De foto van Walter 'Phatz' Morris is gemaakt door Hans Buter, met dank aan het Nederlands Jazz Archief en Daphne Buter. De foto van The Rolling Bones in het Bimhuis is gemaakt door Adriaan Backer.

DANK

Aan dit boek heeft een groot aantal mensen een bijdrage geleverd, de meesten buiten hun medeweten en vele jaren geleden. De muzikanten van het LSJG, de Cooker's Hot Five, Drimdram's Droomband, De Mondo Pacific Band, The Rolling Bones, Naar Tevredenheid, WasIGood, Tipico Tampoco en talloze andere orkesten dank ik voor de muziek waaruit dit boek is voortgekomen. Ik dank mijn ouders, die voor de muzieklessen betaalden, en de firma Müller, Amsterdam, voor de trombonesponsoring.

Mijn grootste dank gaat uit naar Arthur Moore, Den Haag, die me alles afleerde.

The Rolling Bones live in het Bimhuis, Amsterdam, 1995.
Links de auteur, rechts Pieter-Gerrit Binkhorst.

INHOUD CD

Slide Ride, met de trombonisten George Lewis, Graig Harris, Gary Valente en Ray Anderson, live in het Freizeitpark te Moers.
Techniek: Ansgar Ballhorn.

1 In Time Out (Gary Valente)   9'14"
2 Stompin' on Enigmas (Ray Anderson)   6'08"
3 Raven-a-ning (Ray Anderson)   5'48"

Met dank aan de
Nederlandse Programma Stichting.